Ora le dragon de Komodo

Texte de Jean-Philippe Noël
Illustrations de Caroline Picard

Hachette Jeunesse

A mes parents

Ora le dragon de Komodo

Conseil scientifique :
Pierre Pfeffer
du Muséum National d'Histoire Naturelle

Réalisation Agence Media

Sommaire

LE DRAGON DU KOMODO

Carte d'identité

Nom : Ora
Nom scientifique : Varanus komodoensis
Classe : Reptiles
Ordre : Squamates
Sous-ordre : Sauriens
Famille : Varanidés
Genre : Varanus
Taille : 2 mètres 50 en moyenne
Poids : 165 kilogrammes en moyenne
Durée de vie : 50 ans
Habitat : Les îles de Komodo, de Rintja et de Padar, et la côte ouest de l'île de Florès, en Indonésie
Régime alimentaire : Carnivore
Reproduction : Ovipare, la femelle pond entre 10 et 35 œufs dans un nid souterrain. L'incubation dure entre 8 mois et 8 mois et demi
Signes particuliers : Il est l'un des plus grands carnivores actuels mais possède l'aire géographique la plus limitée

PREMIER JOUR. *Par une chaude matinée du mois d'avril*

Bonjour, excusez-moi, je suis un peu essoufflé.... Il y a une heure à peine, je sortais de mon œuf. D'abord déchirer la coquille, puis s'en extirper — ce qui n'est pas une mince affaire — mais, à cet instant, pauvres « anouwettis », comme nous appellent les habitants de l'île, nous n'étions toujours pas au bout de nos peines. Nous avons dû dégager le sable du trou que notre mère avait creusé pour y déposer ses œufs. A ce moment-là, les premiers d'entre nous qui ont atteint l'air libre se sont fait attraper et dévorer par des chiens sauvages. Seuls les plus rapides ont pu trouver refuge dans les arbres...

Je commence seulement à reprendre mes esprits ! Il serait temps que je me présente : je m'appelle Ora et je suis un varan de Komodo. Ora, c'est le nom que nous donnent les habitants de l'île de Komodo lorsque, ayant atteint l'âge adulte, nous ne sommes plus des anouwettis. Nouveau-né, je ne mesure que 30 centimètres, mais adulte, je serai le plus grand lézard du monde : 3 mètres du bout du museau à la pointe de la queue. Notre taille a tellement impressionné les hommes que certains ont prétendu que nous mesurions 7 mètres. Moralité, ils nous ont assimilés aux dragons de leurs légendes. Vous m'imaginez crachant du feu et avec deux petites ailes ! Ridicule. Aujourd'hui encore, ils persistent à nous appeler aussi « dragons de Komodo ». Personnellement, je préfère le terme de varan, c'est tout de même plus sérieux.

Voilà pour les présentations. Bon, cette folle course m'a creusé l'appétit, je croquerais bien quelques insectes.

DEUXIÈME JOUR

Hum, j'ai passé une nuit très agréable. C'est tellement bon de dormir, lové au pied d'un grand figuier de Barbarie. Là, au moins, si un de ces affreux chiens était venu rôder dans les parages, hop, d'un saut je grimpais me mettre à l'abri dans un arbre. Ces chiens redoutables ne sont pas indigènes de l'île : ils ont été amenés par les hommes, mais certains ont préféré reprendre leur liberté. Résultat, redevenus sauvages, ils sont obligés de se nourrir seuls, et peut-on rêver mets plus appétissant qu'un jeune varan fraîchement sorti de son œuf ? — Heureusement, aucune alerte n'a troublé mon sommeil.

Ce matin je suis en pleine forme. Dès que les doux rayons du soleil m'auront réchauffé, je visiterai l'île de Komodo. Comme tous les reptiles, les varans sont hétérothermes. Je traduis : on dit de nous que nous sommes des animaux à sang froid. N'allez surtout pas imaginer que notre sang est froid. Non, la vérité c'est que la température de notre sang varie au gré de la température extérieure. Quand il fait froid, mon corps se refroidit, quand il fait chaud, il se réchauffe. Pour entrer véritablement en activité, j'ai besoin de chaleur. Si le froid devient excessif, me voilà tout ankylosé. Personnellement je suis en pleine possession de mes moyens autour de 30 degrés. C'est d'ailleurs pour cela que dans d'autres pays, certains reptiles hibernent pendant la saison froide. C'est le cas du varan du désert, un de mes cousins qui habite l'Afrique du Nord et l'Asie centrale. Quel dommage de dormir ainsi pendant plusieurs mois ! Nous, les varans de Komodo, sommes actifs 365 jours sur 365.

Pendant que je vous racontais tout cela, le soleil s'est levé dans le ciel. En cette belle matinée du mois d'avril, il fait déjà 27 degrés, mais cet après-midi nous dépasserons les 40 degrés. Ainsi le veut le climat de mon île. Attention, Komodo, j'arrive !

MÊME JOUR. *Le soir*

Je ne pourrai jamais vous raconter tout ce que j'ai découvert aujourd'hui. Je ne m'attendais pas à une telle diversité ! D'abord, j'ai été me promener dans la mangrove. Cette zone, qui forme une ceinture côtière presque tout autour de l'île, est pleine d'arbres dont les pieds baignent dans la mer. Ce que j'ai pu m'amuser à courir sur les grandes racines aériennes, qui plongent dans la vase ! On a l'impression que les arbres sont montés sur des échasses. Comme j'avais faim, j'ai voulu attraper un poisson sauteur. Tu parles, il a filé tellement vite, qu'en voulant le capturer j'ai failli me retrouver « le bec dans l'eau ». Bredouille, j'ai repris mon chemin parmi les palétuviers. Un peu plus loin, un crabe violoniste tentait désespérément de séduire une jeune femelle tout occupée à se ravitailler. C'était drôle : le mâle agitait sa grande pince de haut en bas, espérant ainsi s'attirer les faveurs de la dame. Au cas où vous l'ignoreriez,

les mâles « violonistes » ont une pince de taille normale, alors que l'autre est immense. Ce qui leur donne un air complètement déséquilibré.

En sortant de la mangrove, j'ai suivi le lit d'une rivière où ne courait plus aucune eau. Nous sommes en pleine saison sèche. A Komodo, de février à octobre, il ne tombe pas une goutte de pluie. Heureusement, quelques mares, en altitude, conservent de quoi nous désaltérer. Alors que je continuais ma promenade, j'ai retrouvé Ito, l'un de mes frères, il était tout tremblant.

« Eh bien, Ito, ça n'a pas l'air d'aller très fort ce matin, tu es tout pâle.

— Tu ne me croiras jamais. J'étais tranquillement en train de me dorer au soleil, quand, tout à coup, venu de je ne sais où, une chose affreuse, avec un bec crochu et deux pattes pleines de griffes, se jette sur moi...

— Qu'est-ce que c'était ?

— Tu te doutes que nous n'avons pas eu le temps de nous présenter. Je me suis faufilé dans la première fissure de rocher, et je suis

resté caché jusqu'à ce que l'affreuse bête soit remontée bien haut dans le ciel.

— Et alors ?

— Elle a tournoyé au-dessus du rocher, puis a fini par partir. Je peux te dire que j'ai eu la peur de ma courte vie. »

J'ai proposé à Ito de remonter un peu le long de la rivière avec moi. Après une telle aventure, il valait mieux qu'il se change les idées, mais il a préféré ne pas trop s'éloigner de sa fissure. Ce n'est pas tous les jours facile d'être un varan de Komodo.

Me voici donc reparti avec, pour seul compagnon, mon ventre qui crie de plus en plus famine...

Abandonnant la rivière sans eau, je traverse une petite clairière d'herbes sèches et gagne un sous-bois broussailleux. J'arrive alors face à un amas d'herbes, de branchages et de terre. Mon instinct me dit que cet endroit abrite quelque chose à manger. Et je me mets à gratter, à fouiller et, ô joie, devant moi apparaît un œuf, puis un deuxième, puis un troisième... Merveille, je viens de découvrir une mine d'œufs. Au moment où j'en saisis un, le père mégapode, un drôle d'oiseau celui-là, arrive en gesticulant. S'il pense me faire lâcher prise, il se met la plume dans le bec jusqu'à l'ergot. Tenant fermement mon dû entre mes mâchoires, je file sans demander mon reste, et je l'entends qui vocifère. Il n'a qu'à mieux les surveiller ses œufs...

Après un bon sprint, je stoppe et d'un coup d'un seul, j'avale tout le contenu de l'œuf. Comme c'est bon ! Je crois que c'est ce que je préfère. Après une telle journée, je sens que je vais dormir « comme un varan du désert ».

TROISIÈME JOUR

Programme de la journée : un bon bain de mer.

Après environ un kilomètre de nage, je rejoins la terre ferme, ou plus exactement une petite crique fort accueillante et là, quelle n'est pas ma joie : deux oisillons m'attendent sur le sable. Voilà un repas qui tombe à pic. A peine ai-je fait quelques mètres hors de l'eau, qu'un petit oiseau blanc se jette sur moi en criant, c'est une manie chez ces animaux, il faut toujours qu'ils piaillent...

« Si tu touches à un de mes enfants, je te donne un coup de bec dont tu te souviendras.

— Mais qui es-tu pour oser affronter Ora, le varan de Komodo, futur roi de l'île ? » Ça, c'est peut-être exagéré, mais ça va l'impressionner !

« Je suis Stella, la sterne naine, et toi tu es le roi d'un pays bien ridicule !

— Comment ça ridicule ? Komodo est le plus beau de tous les royaumes.

— Beau, oui, mais somme toute bien minuscule. Ne sais-tu pas qu'au-delà de l'océan, existent d'autres pays immenses. Toi, tu vis sur une île de 394 kilomètres carrés perdue dans l'océan Indien. C'est ridicule, comparé au reste du monde. Imagine : la superficie de la terre est de 510 millions de kilomètres carrés, je le sais, Lydia, la sterne arctique, me l'a dit, et question kilomètres elle en connaît un rayon. Sa vie n'est qu'une longue migration. Elle niche en Arctique et prend ses quartiers d'hiver en Antarctique. Résultat : elle fait, chaque année, deux voyages de 18 000 kilomètres chacun. Elle détient d'ailleurs le record de distance de tous les oiseaux migrateurs. »

Ça alors ! Jamais je n'aurais imaginé que le monde était si vaste... J'étais tellement abasourdi que j'en oubliai mon déjeuner. Pendant plusieurs heures, j'ai contemplé l'océan en

songeant que j'avais encore beaucoup de choses à apprendre. Par exemple : comment expliquer que certains animaux naissent et grandissent sous la protection de leurs parents — ainsi la sterne défend âprement sa couvée — alors que dès l'instant où nous quittons la coquille de notre œuf, nous nous retrouvons livrés à nous-mêmes. Bizarre, enfin c'est la vie — tout du moins, la vie des varans...

JUIN. *La saison sèche bat son plein, 40°*

Aujourd'hui, j'ai juste deux mois. Je commence à bien connaître l'île. Je me suis même aventuré jusque sur les montagnes cou-

vertes de bambous. Je n'aime pas beaucoup cet endroit où il n'y a que quelques poules sauvages à se mettre sous la dent. Mais ici, l'eau se fait rare, alors que là-haut, il reste des mares où nous pouvons nous désaltérer !

Bon, je prends plaisir à vous raconter ma vie, mais je dois aussi songer à me restaurer, sinon je ne deviendrai jamais beau et grand.

Je vais aller chasser du côté de la savane. Autant les montagnes ne me plaisent pas, autant j'apprécie la savane avec ses collines couvertes de hautes herbes que le vent balaie et d'où émergent de majestueux palmiers lontar. C'est un endroit rêvé pour chasser à l'affût. Il me suffit de repérer une proie, et discrètement de m'avancer vers elle, tapi dans les herbes. Quand je suis prêt, hop ! d'un saut brusque, je l'attrape. Ça marche à tous les coups... Enfin presque !

RETOUR DE LA CHASSE

Je viens de faire une rencontre surprenante. Je déambulais d'un pas léger, inspectant chaque fourré, chaque coin de rocher, en quête d'une piste intéressante. Pour ce genre d'inspection, le plus sûr de mes organes c'est ma langue. Elle me permet d'identifier tout ce que je croise. Un coup de langue par-ci, un coup par-là et me voilà parfaitement renseigné. Il faut dire qu'elle parvient à assumer cette fonction qui m'est si précieuse, parce qu'elle est reliée à l'organe de Jacobson. Véritable ordinateur naturel, celui-ci analyse toutes les molécules odorantes qu'elle recueille à ses deux extrémités et me précise ainsi si je suis, oui ou non, à proximité de quelque chose de comestible. Hélas ! aujourd'hui, mis à part quelques menues sauterelles et une ou deux chenilles, je n'ai rien rencontré de bien fameux. A croire que tous les animaux de l'île se sont passé le mot pour disparaître.

Mais soudain, je suis attiré par les croassements d'une troupe de corbeaux perchés sur un jujubier. Un tel rassemblement a toutes les allures d'un excellent présage : « Où les corbeaux se rassemblent, il y a pitance en abondance », affirme le vieux dicton varan.

Effectivement, parvenu à quelques mètres de l'arbre, je découvre la charogne de ce qui, il y a quelques heures encore, était un cerf. Je ne suis pas le premier varan à être passé par là, mais les restes combleront pleinement mon appétit. Sans plus hésiter, je me jette sur mon dîner. Quel festin ! J'ai la tête enfouie dans les entrailles, quand une voix, terrifiante d'autorité, m'interrompt :

« Surtout ne te gêne pas. »

Je sursaute tellement violemment que je me cogne contre une des côtes du cerf. Je me retourne et face à moi, se dresse un vieux varan immense. Il mesure au moins trois mètres et me fixe, immobile.

« Sais-tu que tu es en train de dévorer mon repas ? »

Sa voix me glace le sang, ce qui est vraiment le comble pour un reptile.

« Je pourrais à mon tour te dévorer, et récupérer ainsi la part que tu m'as dérobée. Ce ne serait pas la première fois que je goberais un jeune ! »

Tout en proférant ses menaces, il avance droit sur moi. J'ai le ventre bien rempli, je ne me sens pas suffisamment leste pour fuir.

Il est à peine à un mètre de moi. Dans deux secondes, je lui sers d'amuse-gueule. N'écoutant que mon courage, je relève la tête, gonfle mon cou et entrouvre légèrement la bouche. S'il croit qu'il m'intimide ; je sais, moi aussi, me montrer très menaçant.

« Pas mal, tu me fais presque peur. Dans cette position d'intimidation, tu as l'air d'un véritable varan de Komodo. »

Et en plus il se moque de moi.

« Tu as du cran, je ne te mangerai donc pas. Tu as de la chance, car le pourcentage de

varans qui servent de nourriture à leurs congénères n'est pas négligeable. »

Sans demander mon reste, je quitte à regret mon fabuleux festin. Le vieux varan reprend alors possession de son bien et, d'un coup de nuque violent, il arrache l'une des pattes de la charogne. En moins de temps qu'il ne faut pour le dire, le membre disparaît dans sa bouche. Quand je pense que c'est le sort qu'il me réservait !

J'ai rêvé de la carcasse toute la nuit. D'un côté, je me dis qu'il est dangereux d'y retourner : le vieux varan n'est pas commode. D'un autre côté, il est si âgé et il a tant mangé, qu'en faisant preuve d'un peu de prudence, je devrais pouvoir lui échapper sans trop de difficulté. Bon, un peu de courage. Je ne vais tout de même pas me laisser impressionner parce qu'un grand-père joue les terreurs.

Je l'ai retrouvée à l'endroit précis où je l'avais laissée. Dans l'état où elle était, il y avait d'ailleurs peu de chance pour qu'elle s'enfuie. Un coup d'œil à droite, on respire bien fort. Apparemment la voie est libre, je peux donc festoyer à loisir. Hélas ! à peine suis-je à table, que résonne derrière moi la voix maintenant familière.

« Eh bien, en plus d'être courageux, te voilà téméraire. Je t'avais pourtant ordonné de ne pas revenir. Tu es sur mon territoire. Je suis ici le maître.

— Comment cela ton territoire ? L'île appartient à tout le monde !

— Ah, tu es encore bien jeune, et très

ignorant des lois des varans. Tu n'es qu'un gamin intrépide qui ne pense qu'à courir l'île, avide de tout connaître et de tout voir. J'étais comme toi à ton âge. En vieillissant, tu te rendras compte que rien ne vaut un "chez soi", un territoire sur lequel tu veilleras, un lieu qui sera ton domaine et que régulièrement tu inspecteras. Tu vois ce chemin entre le palmier et le rocher, eh bien, j'y passe chaque jour depuis quarante ans. Quand je me suis installé ici, il n'y avait que les hautes herbes, mais à force de suivre toujours les mêmes pistes, l'herbe couchée a cessé de repousser. Je connais chaque fourré, chaque caillou des quatre kilomètres carrés de mon domaine. Qu'un grand varan mâle essaie de traverser la terre du vieux Bima et il trouvera à qui parler. Toi, tu n'es encore qu'un enfant et tu ne me gênes pas. Ce ne sont pas les trois sauterelles que tu attrapes, qui me privent de nourriture. Mais quand tu auras grandi, il te sera interdit de fouler mon territoire. »

Bima se retourne et disparaît dans les hautes

herbes. Pas un instant, le vent n'a cessé de les agiter. Bien sûr, il ne m'a pas défendu de manger, mais je préfère ne pas rester dans les parages. Je vais aller faire un tour du côté de la plage. Là-bas, traînent toujours quelques poissons morts rejetés par la mer. A moins qu'une tortue-luth soit venue pondre. Ce serait merveilleux, je n'aurais plus qu'à déterrer les œufs et à me servir. Chaque nid comptant plus de 100 œufs, j'assouvirais alors facilement ma faim chronique.

OCTOBRE

Le climat s'est rafraîchi. La température ne s'élève plus guère au-dessus de 20°. Je crois que je n'ai jamais eu aussi froid.

Cette nuit, le ciel s'est déchiré dans un fracas terrible, immédiatement suivi d'abondantes chutes de pluie. Au début, j'étais un peu impressionné et puis, rapidement, j'ai trouvé très drôle de patauger dans les flaques d'eau. Cet avant-dernier jour du mois d'octobre est à

marquer d'une pierre blanche : je viens d'assister à mon premier orage. Il a tellement plu que les ruisseaux de l'île débordent. Toute la nature revit. Les oiseaux n'ont jamais chanté aussi fort, les gros sangliers se roulent dans la boue et l'on entend, au loin, bramer les grands cerfs. J'ai revu un de ces affreux chiens sauvages, je pensais qu'il allait essayer de m'attraper, eh bien pas du tout, il a marqué l'arrêt à environ deux mètres de moi. Je lui ai alors fait le coup de l'intimidation, vous savez : je lève la tête, je gonfle le cou et j'entrouvre la bouche. Ainsi, je parais plus gros encore que je ne le suis. Figurez-vous qu'impressionné, il a préféré passer son chemin. C'est vrai que je mesure maintenant quatre-vingts centimètres du bout du museau à la pointe de la queue !

Depuis le temps que j'entendais parler des hommes, je ne les ai découverts qu'aujourd'hui. Ils habitent de l'autre côté de l'île. Comme les sangliers, ils vivent en famille, mais leur plus grande qualité est d'enfermer dans des enclos de grosses poules bien dodues. Il suffit de passer la barrière et de se servir. C'est comme pour les œufs de tortue : un self à poules. Imaginez ma joie ! Tout en me félicitant des habitudes des hommes, je me dirige vers mon futur repas mais, à peine ai-je avancé d'un mètre, qu'elles se mettent à caqueter. Les hommes arrivent alors en criant et en me jetant des pierres. Heureusement que j'ai la peau dure et qu'ils visent plutôt mal. N'écoutant que mon courage et la voix de la sagesse, je préfère prendre la poudre d'escampette. Je

cours tellement vite qu'un instant, j'atteins les 15 kilomètres à l'heure ! Seulement une fois arrêté, il faut que je me rende à l'évidence, je suis bel et bien perdu.

« Salut, Ora, comment vas-tu ? »

Ça alors, si je m'attendais à trouver quelqu'un de connaissance ici.

« Ito, mais qu'est-ce que tu fais là ?

— Comme toi, petit frère, je viens me servir dans le garde-manger des hommes. Mais tu es complètement inconscient. Attends que les hommes dorment pour leur voler leurs poules. La nuit, c'est beaucoup plus facile, il faut juste se méfier des chiens. »

Alors qu'il me parle, je découvre sur une des pattes d'Ito une grande cicatrice.

« Mais que t'est-il arrivé ?

— Justement, il y a quelque temps de cela, j'étais à deux doigts d'attraper une poule, quand un des chiens a donné l'alerte. En un clin d'œil, je me suis retrouvé face au fermier qui pointait sa faux sur moi. J'ai bien cru que j'y laisserais ma peau. J'ai réussi à prendre la fuite, mais il m'a tout de même infligé une sacrée blessure. Et depuis, je boite... Un jour, je me vengerai. »

Ito a prononcé ces mots avec une hargne telle qu'un frisson m'a parcouru l'échine : j'ai le pressentiment que je ne le reverrai plus jamais...

AVRIL. *J'ai un an*

Les derniers mois ont passé, moroses. Il faut dire que durant toute la saison des pluies, la nature entière est détrempée. On ne peut alors guère préserver quoi que ce soit de l'humidité. Mais aujourd'hui tout cela est bien loin et je me dois de célébrer cette matinée : je suis parvenu à capturer ma première grosse proie. Un sanglier, enfin un marcassin, mais c'est déjà très bien !

Comme d'habitude, ma première pensée matinale fut : « Bon, que vais-je manger ce matin ? » Après mon bain de soleil quotidien, un petit tour dans la savane s'imposait. Alors que j'erre parmi les hautes herbes, j'aperçois une harde de sangliers. Ceux-là, quand ils ne sont pas en train de dévorer des crabes dans la mangrove, ils se gavent ici des fruits du jujubier. Nonchalamment, et l'air de rien, je m'approche du petit groupe en pensant que l'un d'eux constituerait un excellent petit déjeuner. En général, une des femelles a tôt fait de donner l'alerte, ce qui déclenche immédiatement la fuite de toute la petite troupe, en file indienne. Je ne pourrais alors me risquer à la suivre car si une des laies me faisait face, je ne serais guère de taille à lutter contre elle. Je sais d'ailleurs qu'elles sont particulièrement agressives en ce moment, parce qu'elles sont accompagnées de leurs petits. Mais aujourd'hui, trop occupés à déguster leurs fruits, les sangliers ne m'ont pas repéré. J'ai peut-être ma chance. Un marcassin à la livrée juvénile (il n'a pas un mois) se tient un peu à l'écart, à quelques mètres de moi. Je marque l'arrêt. L'imprudent s'abandonne à jouer avec un insecte qui le rapproche à moins d'un mètre de mon museau. Tout va alors très vite. Je me jette sur lui, l'attrape par la tête, et me volatilise aussitôt sous le couvert des herbes. La troupe se met à courir en tous sens, mais trop tard : je suis déjà loin. A l'abri d'un palmier, j'avale mon petit déjeuner. La musculature de ma tête permet à ma mâchoire de s'écarter à angle droit, je peux ainsi ouvrir très grande ma bouche et, avec quelques contorsions, faire descendre l'animal entier dans mon estomac. J'ai sûrement multiplié mon poids par deux. Quel délice !

Je m'en pourlèche le museau de plaisir. Après une telle prise, qu'importe si l'absence de proies m'oblige à jeûner plusieurs jours durant !

JUILLET. *Il fait bon : 30 degrés*

Je reprends mon journal. Depuis plus d'un an, je n'ai rien écrit. La vie s'est déroulée plutôt calmement et je n'avais rien de très palpitant à vous narrer. Mais aujourd'hui est

une date importante dans ma vie de varan. Je suis âgé de deux ans, et cette fois, je suis fier de vous annoncer que je mesure plus d'un mètre cinquante. Je ne suis donc plus un anouwetti, mais bel et bien un ora. Attention, ne croyez pas que ma croissance va s'arrêter de sitôt. Les varans, comme la grande majorité des autres reptiles, grandissent toute leur vie. Si pour l'instant mon développement est rapide, ma croissante deviendra insignifiante quand

j'atteindrai environ deux mètres soixante-dix. J'espère seulement vivre assez longtemps pour mesurer, un jour, plus de trois mètres. La couleur de mon corps, autrefois uniformément foncée, tend maintenant vers un très beau marron brique.

La lune était si claire que j'ai vagabondé une bonne partie de la nuit. Ce matin, il faut bien l'avouer, je me suis levé assez tard. A mon réveil, le soleil était déjà haut dans le ciel et ses rayons n'ont pas mis longtemps à me réchauffer. J'ai donc pu partir très vite en quête de nourriture. Il est un animal dont j'aimerais bien goûter à nouveau, c'est du cerf. Je me contenterais même d'une biche, ne jouons pas les difficiles. Depuis la carcasse du vieux Bima, j'ai un peu oublié le goût de ces animaux. Allez savoir pourquoi j'en ai telle- ment envie, ce matin !

A cette heure chaude de la journée, ils prennent sans doute le frais sous quelques arbres bordant la rivière. Bravo Ora, ils sont bien là. Il me reste seulement à déterminer un plan d'attaque. Si je me montre maintenant, c'est sûr, ils détallent tous en un clin d'œil et, j'ai beau être du genre sportif, aucune chance de les rattraper. Ces animaux sont montés sur ressorts et il faut les voir galoper et accomplir des bonds prodigieux. En ce qui me concerne, plus que la vitesse, je me dois d'employer la ruse, et surtout la patience. Chaque fin de journée, ils reviennent brouter vers la savane et passent toujours par le même chemin ; je vais donc me poster à cet endroit stratégique où je n'aurai plus qu'à les attendre. Figurez-vous que l'autre jour un chien s'est fait mordre par une vipère de Russel. Non contente de l'empoisonner, elle n'a pas desserré ses crochets. Pendant une demi-heure, le chien eut beau se débattre, la vipère n'a pas lâché prise. Le pauvre a fini par succomber. Si seulement, comme la vipère, je possédais deux crochets venimeux, la chasse serait un vrai plaisir. Il me suffirait de mordre à pleines dents dans ma proie et d'attendre tranquillement que le poison agisse, ce serait le bonheur absolu. Enfin, les varans ne sont pas venimeux, et je n'y peux rien !...

Comme d'habitude, mon instinct ne m'a pas trompé : les cerfs arrivent. En examinant chacun des animaux qui constituent la harde, je m'aperçois que le dernier est un peu maladif.

C'est mon jour de chance, il fera une proie facile. Au moment où il passe à ma portée, je me rue sur lui, mords fortement une de ses pattes, bien décidé à ne plus le lâcher. Pendant ce temps, le reste de la harde, n'écoutant que son courage, s'enfuit dans une succession de bonds à vous donner mal au cœur. Je sers fortement encore ma mâchoire, alors que le bougre fait preuve d'une vigueur très surprenante pour un malade. Avec l'énergie du désespoir, il envoie une ultime ruade, et me voilà projeté quelques mètres plus loin, un peu sonné, je l'avoue. J'en suis quitte pour de bonnes courbatures.

« C'est pas mal, ça manque encore d'un peu de fermeté dans la mâchoire, mais tu as pris de sacrées forces depuis la dernière fois que je t'ai vu. »

Bima, je l'avais presque oublié !

« C'est peut-être pas mal, mais il n'empêche que mon repas vient de me filer entre les dents.

— Avec la blessure que tu lui as infligée, et

le sang qu'il a perdu pendant le combat, il ne risque pas d'aller très loin, suis-le et surtout ne le perds pas de vue. D'ici quelques heures, il sera tellement faible que sa capture définitive deviendra un jeu d'enfant. »

LE LENDEMAIN

Effectivement, le cerf est mort une douzaine d'heures après mon assaut. J'ai fait un festin indescriptible. J'ai tellement mangé que mon ventre touchait terre. Mais je suis prévoyant, j'en ai gardé un peu pour aujourd'hui. C'est bon de se lever et de se dire que le petit déjeuner est servi.

Ça alors, c'est un peu fort. Attablés autour de ma pitance, cinq ou six jeunes varans âgés à peine de quelques semaines. Ils sont vraiment sans gêne, mais ça ne se passera pas comme ça. Sûr de ma supériorité physique, j'avance droit sur eux. S'ils ne se poussent pas, ce n'est pas compliqué, je les avale. Apparemment, ils ont compris le message et s'éloignent de quelques mètres. Il leur suffit d'attendre que je termine mon repas pour avoir le droit de manger à leur tour. Ah non vraiment, il n'y a plus de jeunesse !

Je suis en pleine dégustation d'un cuissot quand derrière moi un pas lourd et assuré retentit. Bima. Oh ! là ! là ! il a sa tête des mauvais jours. Il se dirige vers le cerf, je m'écarte. Avec une énergie, comme rarement j'en ai constaté chez un varan de son âge, il arrache un lambeau de peau. Comme il n'a toujours pas prononcé un mot, je me risque à prendre la parole le premier :

« Ça n'a pas l'air d'aller très fort, ce matin.

— J'ai croisé des hommes pas loin d'ici. »

Tu parles d'une nouvelle, me dis-je en moi-même, et j'ajoute à haute voix :

« Même s'ils habitent l'autre côté de l'île, ils viennent souvent par ici.

— Non, je ne te parle pas des 500 hommes qui habitent Komodo, ceux-là je les connais bien, et ils me surnomment même "nenek", ce qui signifie grand-père dans leur langage. Ceux que j'ai vus ce matin arrivent de beaucoup plus loin. Ils sont facilement reconnaissables à leur peau plus claire. Ils se promènent toujours avec un tas de choses. Surtout, si tu les croises, méfie-toi. Il y a bien longtemps, des hommes à la peau claire ont débarqué sur l'île. Ils nous ont attirés avec d'appétissantes chèvres. Les moins méfiants d'entre nous se sont précipités, et sans comprendre ce qui leur arrivait, ils se sont retrouvés prisonniers des hommes. Nous ne les avons plus jamais revus. Il paraît que les

survivants, car beaucoup sont morts pendant le trajet, habitent de l'autre côté de la planète, enfermés pour toujours dans des enclos. Même si les hommes les nourrissent correctement, les nuits claires et chaudes de Komodo leur manquent terriblement. »

Très affecté par ses souvenirs, Bima est reparti d'une démarche triste. A mon avis, il y a une histoire de cœur là-dessous...

QUELQUES JOURS PLUS TARD...

Leçon à retenir : lorsqu'un vieux sage vous donne des conseils, suivez-les, vous éviterez bien des malheurs. Je viens de vivre plusieurs heures d'angoisse qui auraient pu m'être épargnées, si j'avais un peu plus prêté attention aux dires de Bima. Je sens que vous mourez d'envie de savoir pourquoi je fais montre soudain de tant de sagesse. Voici le récit détaillé de mes dernières aventures.

Après ma rencontre avec Bima, je me jurai de me tenir à l'écart des hommes. Mon expérience dans l'enclos des poules et ce qu'Ito m'avait raconté m'avaient déjà suffisamment donné à penser que ces drôles d'animaux ne sont guère fréquentables. Fier de mes résolutions, je me dirigeai d'un pas léger vers un lieu que l'on appelle Inalaoh, une falaise de six ou sept mètres qui domine le lit d'une rivière, la plupart du temps asséchée. Mais la vue y est superbe. Une odeur de viande me chatouilla alors les narines, et me voilà de nouveau confronté à la rude exigence de la réalité : il faut manger pour vivre, et non loin d'ici se cache un quartier de viande qui n'attend que ma visite.

Effectivement, mon odorat ne m'a pas trompé et je comprends rapidement la raison de mon excitation olfactive. Seulement voilà : le bout de viande est enfermé dans une sorte de couloir entouré de barreaux. Quelque peu étonné, je m'avance d'un mètre, darde sans cesse ma langue, jette un coup d'œil. Apparemment, rien de bien extraordinaire. Parvenu à la hauteur de l'enclos, je tente de me saisir de la viande à travers les barreaux. Impossible ! En tournant un peu autour, je découvre une entrée : « J'y vais ou je n'y vais pas ? » Un beau gigot de chèvre, placé dans le fond, me nargue. Il me suffit de m'en saisir, et aussitôt de ressortir de l'enclos, ni vu ni connu. Au moment précis où je m'empare du gigot — vlan ! —, une porte se ferme derrière moi. Le seul fait de tirer sur la viande a déclenché le mécanisme. Piégé, me voilà prisonnier. J'ai beau me débattre, ma prison ne cède pas. Trois hommes se précipitent. « Ils nous ont attirés avec d'appétissantes chèvres. » Les mots de Bima me reviennent en mémoire. Trop tard, je me suis fait avoir. Finies les balades au clair de lune et les sorties dans la mangrove. Je me défends avec la force du désespoir, en vain. Les hommes à la peau claire se tiennent autour de la cage, ils semblent parler entre eux.

« C'est un jeune mâle.

— Il a probablement moins de trois ans. »

J'ai peur. A force de me cogner contre les barreaux, je me blesse :

« Laissons-le se fatiguer un peu, la cage est solide. »

Ils s'éloignent et me laissent seul. Je ne comprends rien à leur jargon, mais il ne fait aucun doute que c'est de moi dont il s'agit.

« Paul, tu passes la corde autour de sa queue. Voilà, c'est bon. »

Ma parole, non contents de m'enfermer, ils me ligotent. Ils veulent aussi que je me laisse faire peut-être !

« Sacrée bestiole, il a de l'énergie à revendre. Laisse-lui un peu de mou dans la corde, ce n'est pas la peine qu'il se blesse.

— Xavier, tu peux préparer le sac en toile de jute. Paul et moi, nous sortirons la bête de la cage-trappe, et la mettrons directement dans le sac. »

Je crois rêver. Ils ne vont tout de même pas m'enfermer dans un sac. Ça ne se passera pas comme ça, foi d'Ora !

« Ok, à trois tu tires, 1... 2... Attention, il se retourne, il va essayer de te mordre... Tu l'as échappé belle, leur denture est aussi efficace

que celle des requins. Bon, recommençons. 1... 2... 3... Ok, cette fois la bête est dans le sac. »

Me voilà dans de beaux draps ! Direction probable : l'autre bout de la terre... Laissez-moi sortir, laissez-moi sortir.

« Notre jeune compagnon n'a pas l'air de vouloir se calmer, ça ne va pas être une mince affaire.

— Xavier, tu peux apporter la balance. Tiens, pose-la ici, merci. Paul, tu notes le numéro d'immatriculation sur le carnet : M., puisque c'est un mâle, les femelles ont une teinte beaucoup plus noir-verdâtre. 3, hé oui, il y a trois jours que nous sommes là, et K. parce que la capture a eu lieu à Komodo, et non sur Rindja ou Padar, deux autres îles voisines qui abritent aussi des varans. Alors notre animal pèse 22,7 kilos. En voilà un qui a mangé tous les jours à sa faim. »

S'ils continuent à agiter le sac comme ça, je vais tomber malade !

« Bon, maintenant, passons aux choses sérieuses. Paul, tu lui tiens fermement la tête :

Et surtout n'oublie pas tes gants. Un coup de dents, et tu peux dire au revoir à une partie de ta main. Imagine environ 55 lames de rasoir aux bords finement dentelés comme une scie. Et dès que l'une des dents tombe, elle est automatiquement remplacée par une autre. On pense qu'il peut ainsi renouveler entre 100 et 250 dents par an. Xavier, toi, tu tiens la queue, et c'est parti pour les mensurations. »

Et maintenant, il me plaque au sol. J'en ai assez. Quand ce cauchemar prendra-t-il fin ?

« Paul, attention, il essaie de te griffer. Eh bien lui, au moins, il mérite bien son nom de dragon ! Heureusement qu'il ne crache pas de feu, sinon nous serions passés au lance-flammes depuis longtemps. C'est bon, pour les mensurations, il ne nous reste plus qu'à inscrire son immatriculation sur le dos. Si nos chemins se croisent à nouveau, il sera ainsi facilement identifiable. Ne t'inquiète pas, mon vieux, dans quinze jours, cette peinture aura totalement disparu. »

Mais que font-ils ? Ils sont en train de me

peinturlurer quelque chose sur le dos. Ces hommes sont fous !

« Bon, vous pouvez relâcher le fauve. Nous avons assez de renseignements le concernant, Voilà, jeune varan, tu es libre, tu peux aller raconter à tes frères que grâce à ton aimable contribution, tu as permis à des scientifiques de mieux connaître les varans : leurs déplaceents dans l'île et la limite de chacun de leurs territoires. Quant à nous, messieurs, nous avons encore beaucoup de travail. Selon les dernières

estimations, Komodo comptait plus de 2 300 varans. »

Ils m'ont libéré de mes liens, mais c'est sûrement une de leurs ruses. Je suis tellement stupéfait que je n'ose plus bouger. A présent, ils font de grands gestes, mieux vaut déguerpir d'ici au plus vite.

Voilà toute l'histoire, vous avouerez qu'il y a de quoi y perdre son latin. Et dire que je me trouve désormais affublé d'une marque sur le corps. Au moins, je ne risque pas de passer inaperçu.

UNE NUIT D'AOUT

Dans quelques mois, la saison des pluies sera de retour, mais cette nuit, la lune enveloppe l'île d'une superbe luminosité et j'en profite pour faire une balade nocturne. Je ne suis d'ailleurs pas seul. Bima lui aussi traîne dans les alentours.

« Bonsoir, Bima !

— Bonsoir, Ora. Alors tu l'as échappé belle ?

— Comment le sais-tu ?

— Oh, rien de ce qui se passe sur l'île ne m'échappe. Tu peux t'estimer heureux. A part ce tatouage ridicule, les hommes n'ont pas été trop mauvais avec toi. En fait, nous pouvons nous estimer heureux, nous les varans, mais parle un peu des hommes aux crocodiles qui habitent l'île de Rintja, tu verras à quel point ils les détestent. Haine bien justifiée du reste, les hommes tuent les crocodiles du monde entier, uniquement pour leurs peaux.

— Quoi, les hommes ne mangent que la peau des crocodiles. Quel gâchis !

— Mais non, imbécile. Laisse-moi parler.

— Pardon.

— Où en étais-je ?... Ah oui ! Ils utilisent leur peau pour faire des sacs et des chaussures. Et pour cela, ils massacrent des dizaines de milliers de crocodiles. Lorsque les hommes à la peau claire nous ont découverts en 1910, ils auraient bien aimé nous transformer nous aussi en sacs ou en chaussures. A l'époque, beaucoup des nôtres furent massacrés. Malheureusement

pour les hommes, mais heureusement pour nous, notre peau renferme des ostéodermes, ce qui la rend impropre à tout tannage. Il est certain que s'il en avait été autrement, les grands varans de Komodo auraient disparu depuis bien longtemps, et ce malgré l'interdiction absolue de nous chasser, décrétée par le sultan Bima.

— Par qui ?

— Le sultan Bima. Il régnait sur la région au début de ce siècle. Lorsque les hommes à peau claire nous ont découverts, le sultan Bima a compris que leur avidité mettait la vie des varans en danger. Il a interdit qu'on nous tue ou qu'on nous mette en cage, sauf autorisation spéciale. C'est en son honneur que je m'appelle Bima.

— Les hommes sont vraiment de drôles d'animaux. D'un côté ils détruisent et de l'autre ils protègent.

— Je crois pouvoir dire qu'ils ont beaucoup détruit et maintenant, pris de remords, ils tentent de sauver ce qui peut encore l'être. Je suis cependant sûr d'une chose : pour vivre heureux, vivons cachés. »

DEUX ANS PLUS TARD

Cinq ans se sont écoulés depuis que j'ai commencé à tenir ce journal. La vie se déroule tranquillement, et comme un varan heureux, je mène une existence solitaire, partagée entre les plaisirs de la table et ceux du repos. Mais en ce beau matin du mois de juin, pour la première fois, étrangement, cette solitude me pèse...

« *Ora gila, Ora gila.* »

Qu'est-ce que c'est que tout ce raffut ? je sors la tête du terrier dans lequel je prenais quelque repos et j'aperçois un groupe d'hommes armés. J'aime bien me mettre ainsi à l'abri de la chaleur dans un terrier abandonné ; plus tard, j'en construirai un qui n'appartiendra qu'à moi seul. Les hommes avancent d'un pas rapide et décidé. Il se passe quelque chose et je dois savoir quoi. En les suivant discrètement, j'aurai probablement une réponse. Le plus vieux d'entre eux est équipé d'un bâton et d'une grosse corde. Un autre porte un quartier de viande. Ce n'est pas sans me rappeler quelque chose... Non, n'ayez crainte, je ne me ferai pas piéger une seconde fois.

Après avoir parcouru une centaine de mètres, la petite troupe s'arrête. L'homme à la corde et au bâton trace sur le sol un cercle au centre duquel il place la viande puis, fixant la montagne, il se met à psalmodier d'étranges incantations.

A quoi peut bien rimer toute cette cérémonie ?

Se faisant l'écho de mes interrogations muettes, une voix m'arrache à mes pensées.

« C'est de la magie. »

A côté de moi, une jeune demoiselle varan. Nous devons avoir le même âge. Elle est un peu plus petite que moi. Une mignonne langue blanc rose à faire craquer plus d'un varan darde de son joli museau...

« Tu vois cet homme qui semble parler à la

montagne, c'est un chasseur de dragons. Le cercle qu'il a tracé est, paraît-il, magique. Si l'un de nous y pénètre, il lui est impossible d'en sortir. En ce moment, l'homme appelle l'un de nous, afin de le capturer. »

... Ce museau tout fin, dominé par de grands yeux pétillants...

« Cette nuit, un varan a attaqué l'un des enfants du village. Celui-ci n'a été que légèrement blessé, mais son père s'est juré d'avoir la peau de l'*Ora gila*, c'est-à-dire du varan fou. »

... Elle a une peau si délicate, je ne peux m'empêcher de la regarder...

« C'est pour cela qu'ils ont fait appel à un chasseur de dragons. Ils reconnaîtront facilement le coupable : l'*Ora gila* a une grande cicatrice à la patte. »

Cette dernière phrase me fait littéralement sursauter.

« Il ne s'appellerait pas Ito ?

— Je ne sais pas. Mais il passe auprès des villageois pour être un sacré voleur de poules. »

Il ne peut s'agir que d'Ito. Il l'avait donc obtenue sa vengeance, mais à présent les hommes le condamnaient. J'avais déjà entendu parler de ces varans tueurs d'hommes, mais pourquoi Ito avait-il suivi ce chemin ?

« Tu le connais ?

— Il s'agit de l'un de mes frères.

— Allez, rester par ici devient trop risqué. Une balade sur la plage et quelques délicieux œufs de tortue nous feront le plus grand bien. En venant, j'ai repéré un nid qui n'attend que nous. »

Nous avons marché ensemble bien longtemps. En plus d'être très jolie, Waral, c'est son nom, est vraiment sympa.

POST-SCRIPTUM

Ito a fini par pénétrer dans le cercle du vieil homme...

Bima est mort. Je veille maintenant sur son

territoire. Waral est repartie de son côté. Dans quelque temps, elle pondra une trentaine d'œufs, d'où sortiront — huit mois après — des anouwettis prêts à conquérir le monde. Si un jour leurs chemins croisent le mien, je ne saurai même pas qu'il s'agit de l'un de mes enfants. Il en va ainsi de la vie des varans.

Ce soir, je pense à nous, terribles dragons de Komodo, perdus sur notre minuscule île de l'archipel de la Sonde... Des hommes seuls, dépend notre survie. Plus que la plupart des autres animaux, nous excitons leur curiosité et leur besoin de tout savoir.

Notre allure les replonge dans les légendes des dragons, notre taille les renvoie au temps où d'immenses dinosaures peuplaient la terre, et ils aiment à imaginer que nous sommes leurs descendants directs.

Enfin, les hommes s'interrogent encore sur nos réelles origines, et s'expliquent mal notre existence sur un seul point du globe.

Si je pouvais m'adresser à tous les autres varans de Komodo, je leur dirais :

« Continuez de faire travailler l'imagination humaine. Tant que les hommes n'auront pas éclairci le mystère du dragon de Komodo, ils nous permettront de vivre quelque part dans l'océan Indien. »

PETIT VOCABULAIRE

BIOTOPE

Un biotope est un milieu biologique défini (mare, désert, savane, forêt...), offrant aux espèces animales qui y vivent tous les facteurs physiques (eau, température, luminosité...) et biologiques (végétation, proies...) dont elles ont besoin pour vivre et se reproduire.

BOÏDÉS

Les boïdés sont les serpents constricteurs. Dépourvus de venin, ils étouffent leur proie dans leurs anneaux avant de l'avaler. C'est dans cette famille que l'on rencontre les plus grands serpents, dont le python réticulé qui peut atteindre 10 mètres.

HYBRIDE

On qualifie d'hybride un animal ou un végétal issu de deux espèces ou de deux variétés différentes.

JUJUBIER

Arbre fruitier que l'on cultive dans le Midi de la France, mais qui compte une quarantaine d'espèces à travers le monde. Son fruit sucré, le jujube, a l'apparence d'une olive verte qui rougit quand il mûrit.

MANGROVE

Forêt caractéristique des régions littorales de la zone tropicale. Elle se compose essentiellement de palétuviers dont les racines échasses se fixent dans les boues des rivages.

OPHIDIENS

Dans la classe des reptiles, les ophidiens constituent le sous-ordre des serpents.

OVIDUCTE

Conduit par lequel les œufs sont acheminés hors du corps de l'animal. Ce terme est issu

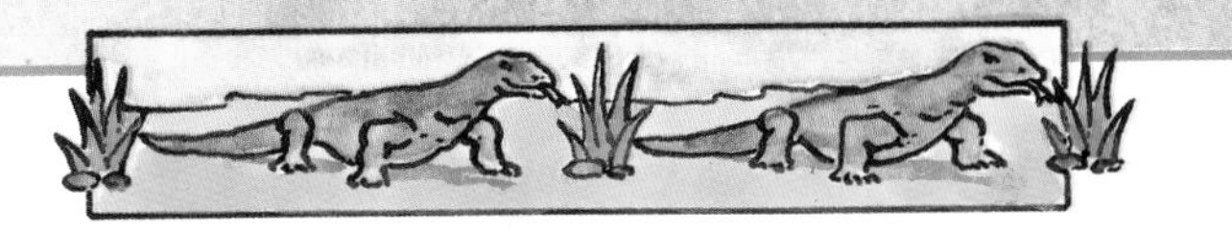

du verbe latin *ducere* qui signifie conduire et de *ovum* qui veut dire œuf.

PALÉTUVIER

Nom donné aux arbres poussant au bord de l'eau dans les régions tropicales et dont les racines sont en partie aériennes. Les forêts de palétuviers constituent la mangrove.

PALMIER LONTAR

Le palmier lontar est un arbre des savanes tropicales. Son tronc élancé porte au sommet un bouquet de palmes. Le fruit du palmier lontar, semblable à une noix de coco, contient une pulpe orange et sucrée.

POISSON SAUTEUR OU PÉRIOPHTALME

Ce poisson amphibie vit dans la mangrove et passe de longs moments hors de l'eau, sur la vase ou sur les racines des palétuviers. A marée basse, il se promène sur la vase en se déplaçant par bonds successifs. L'eau qu'il conserve dans une cavité entourant ses branchies lui permet de respirer à l'air libre.

SAURIENS

Dans la classe des reptiles, les sauriens constituent le sous-ordre des lézards.

SPERMATOZOÏDE

C'est la cellule reproductrice mâle. Il y a fécondation lorsqu'un spermatozoïde fusionne avec un ovule.

SQUAMATES

Dans la classe des reptiles, l'ordre des squamates est constitué du sous-ordre des sauriens (les lézards) et du sous-ordre des ophidiens (les serpents). A l'origine de ce terme, il y a le mot latin *squama* qui signifie écaille.

TARASQUE

Selon la tradition populaire, la Tarasque répandait jadis la terreur aux alentours de Tarascon. Dragon amphibie, réunissant une tête de lion, une carapace couverte d'épines et six pattes, elle parcourait la région en dévorant moutons et bergers et allait même jusqu'à faire chavirer les bateaux qui naviguaient sur le Rhône. Elle fut, dit-on, terrassée par sainte Marthe.

TORTUE LUTH

Pouvant atteindre 2 mètres, c'est la plus grande des tortues. C'est aussi le plus lourd des reptiles puisqu'elle peut peser jusqu'à 600 kilos. Espèce aujourd'hui menacée, elle vit dans toutes les mers tropicales. Il arrive parfois que certaines s'aventurent jusque vers les côtes européennes.

DOCUMENTS

Texte de Jean-Philippe Noël
Illustrations de Michel Beurton

LE DRAGON DE NOS LÉGENDES, DEVENU RÉALITÉ ?

Naissance d'une illusion

L'immense silhouette marron brique s'avance vers les deux hommes, marque l'arrêt et, sans cesser de darder sa langue, relève le cou, semblant fixer droit dans les yeux les Hollandais, pétrifiés par la peur. Puis l'animal, effectuant un demi-tour, disparaît sous le couvert de la végétation.

La première rencontre d'Occidentaux avec un varan de Komodo s'est-elle déroulée ainsi ? Sans doute. Aussi furtivement, aussi simplement. Nous sommes au début de ce siècle, Aldégon et Kock, deux pêcheurs de perles néerlandais, viennent de rencontrer leur premier varan de Komodo. Se renseignant auprès des indigènes, ils apprennent qu'ils ont croisé *ora*, un animal capable de terrasser le bétail, voire de s'attaquer à un homme.

En 1910, les deux hommes affirment au gouverneur Van Hensbroek qu'ils ont rencontré un lézard de plus de 7 mètres, mangeur d'hommes... La légende du dragon de Komodo est née... En 1912, le major P.A. Ouwens, qui dirige le Musée de Buitenzorg à Java, a beau décrire scientifiquement le *Varanus komodoensis*, qu'importe ! Aujourd'hui encore, le grand lézard se voit affublé du nom de dragon. Les croyances ont la vie dure...

Pourtant, si l'on examine les mythes et les légendes, le monde très fermé des dragons exige bien des qualités qui manquent à notre varan.

Ce que disent les légendes à propos des dragons

Dans la grande classe des reptiles, il existerait un ordre aux variétés multiples et assez mal définies. Il s'agit de l'ordre des dragons.

Omniprésents à travers les siècles, ils n'ont été que très rarement étudiés. Seuls de courageux héros peuvent témoigner de leur existence.

Un reptile hybride...

L'allure générale est celle d'un reptile, le plus souvent un lézard, quoique certains dragons fassent immanquablement penser à quelques grands boïdés.

L'identité des dragons se définit le plus souvent par leur caractère hybride. Ainsi les Chinois les décrivent comme pourvus d'une tête de chameau, d'yeux de lièvre ou encore de pattes de tigre.

Leur taille joue aussi un rôle important. Les dragons mesurent rarement moins de 6 mètres de long et peuvent atteindre 17 kilomètres.

Bien que cela ne soit pas une nécessité absolue, les dragons possèdent, en général, une paire d'ailes. Quant au nombre de leurs pattes, il varie de 0 à 6, et celui de leurs têtes de 1 à 1 000.

... cracheur de feu

Si l'animal apparaît sous des formes multiples, ce qui rend son identification parfois périlleuse, certaines données physiologiques permettent cependant de ne pas se tromper quant à son appartenance à l'ordre.

Un dragon, digne de ce nom, crache du feu. Si, par malheur, il n'en est rien, son haleine est toujours nauséabonde, voire mortelle. Son sang est empoisonné. Sa durée de vie, quoique inexactement connue, est supérieure à plusieurs siècles. Les dragons possèdent des pouvoirs magiques, et certains sont capables de parler. Mais tous ont un point commun : une gloutonnerie insatiable.

Forces du mal ? Forces du bien ?

Les dragons sont apparus sur terre, dès le commencement du monde, à l'époque du chaos, où forces du mal et forces du bien s'affrontaient dans une lutte sans merci.

Au fil du temps, deux grandes lignées se distinguèrent : les dragons occidentaux, restés au service du mal, et les dragons orientaux, issus des grandes forces naturelles, garants de l'équilibre universel et, de ce fait, vénérés par les hommes.

Que sont les dragons devenus ?

Les dernières apparitions de dragons occidentaux datent du XVIIᵉ siècle. En 1654, un chasseur de dragons en affronte un en Suisse. En 1660, un autre est tué dans les environs de Rome. En 1669, un serpent ailé hante les collines de l'Essex en Angleterre... Depuis, plus aucun dragon ne s'est manifesté. On peut penser, comme le veut la croyance populaire, que tous ont été exterminés par des héros et des saints qui, comme saint Michel et saint Georges, dès le Moyen Age, les combattirent ardemment. Il n'en reste pas moins que dans la réalité, certains sauriens à l'allure étrange ne sont pas sans nous rappeler notre monstre cracheur de feu.

Pour en finir avec les légendes

Des « dragons » bien vivants ?

Le « plus dragon » de tous les reptiles est probablement le lézard à collerette *(Clamydosaurus kingii).* Si ce grand lézard possède autour de la tête une collerette qu'il déploie en ouvrant la bouche, il n'en demeure pas moins que de celle-ci, jamais aucune flamme n'est sortie.

Le dragon volant *(Draco volans)* possède bien une sorte de paire d'ailes, mais celles-ci ne lui servent que de parachute. Ce petit lézard ne peut, en aucun cas, effectuer, grâce à elles, de vol au-dessus des nuages.

Avec la multitude d'épines qui couvrent son corps, le diable cornu *(Moloch horridus)* a toutes les allures d'un animal venimeux. Mais les apparences ne sont pas tout, car en fait une bête des plus inoffensives se cache sous cet aspect hirsute.

Pendant des siècles, les hommes ont donc cru que les dragons étaient une réalité et des témoignages dignes de foi confirmaient leur existence. Marco Polo n'a-t-il pas aperçu des dragons-serpents dans les steppes de l'Asie centrale ?

La taille et la voracité du varan de Komodo, la collerette du lézard ou les épines du diable cornu, voilà des caractéristiques que l'on croit reconnaître comme étant celles des dragons, mais ces lézards que nous offre le monde réel sont bien ridicules, comparés aux vouivres, serpents ailés ou autres tarasques, amateurs de chair humaine, qui peuplent notre imaginaire et donnent naissance à certaines de nos plus belles légendes.

UNE ORIGINE PARFAITEMENT REPÉRABLE

Notre varan de Komodo n'a donc de dragon que le nom. Il ne nous a effrayés, nous autres Occidentaux, que parce que nous étions habitués à des lézards de moindre taille. En revanche, en d'autres lieux de la planète, l'existence des varans est connue depuis fort longtemps.

Le mot « varan » vient de « waral » ou « ouran », termes arabes désignant les varans du Nil. L'historien grec Hérodote (484-420 av. J.-C.) décrivit les varans du désert comme des crocodiles terrestres. Les Égyptiens, quant à eux, ne confondaient pas les deux reptiles, et des représentations de varans figurent sur nombre de leurs monuments.

Une famille de reptiles : les varanidés

Il y a environ 260 millions d'années, les reptiles furent les premiers animaux à devenir indépendants du milieu aquatique.

Très rapidement, ils se divisèrent en plusieurs ordres qui, tout en évoluant de manières très diverses, eurent tôt fait de conquérir les différents milieux du globe. Leur période florissante se situe à l'ère secondaire. Aux côtés des célèbres dinosaures, qui regroupent l'ordre des ornitischiens et des saurichiens, une faune multiple de reptiles nageurs (les ichthysauriens), volants (les ptérosauriens) ou mammaliens (ancêtres des mammifères) se partage alors la surface de la terre.

Après 150 millions d'années de règne absolu, la plupart de ces monstres disparurent sans laisser de descendance. Seuls quatre ordres ont continué leur évolution et sont parvenus jusqu'à nous pour constituer la classe des reptiles, telle que nous la connaissons aujourd'hui. Il s'agit des rhynchocéphales dont il ne reste qu'une seule espèce, des crocodiliens, des chéloniens, plus connus sous le nom de tortues, et enfin des squamates, qui regroupent les sous-ordres des ophidiens (serpents) et des sauriens (lézards).

Les varans appartiennent à ce dernier sous-ordre et sont regroupés dans une même famille : les varanidés.
Malgré son gigantisme et son aspect, qui n'est pas sans rappeler parfois les anciens dinosaures, le varan de Komodo est donc bien, et ses origines le prouvent, un reptile.

Une grande famille

Les varanidés comptent 27 espèces différentes. On y trouve le plus grand des sauriens : le varan de Komodo. Mais si nombre d'entre eux mesurent plus d'un mètre à l'état adulte, le varan à queue courte, le plus petit représentant de la famille, ne dépasse guère 20 centimètres.

Les caractères zoologiques de ces animaux parfaitement adaptés leur ont permis de coloniser divers types de biotopes, sous réserve que ceux-ci soient suffisamment chauds.

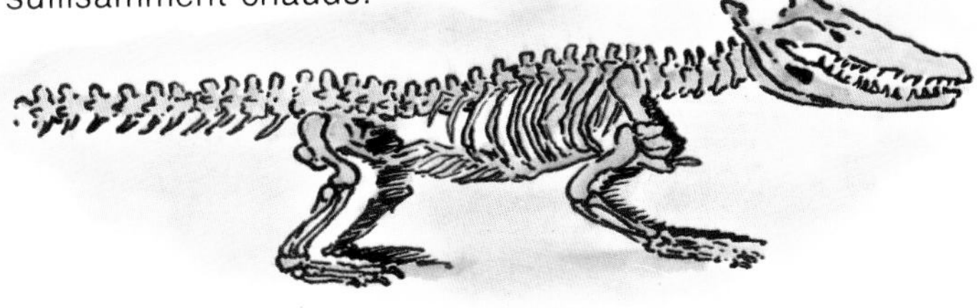

En dépit de leur importante différence de taille, ils forment un groupe homogène aux caractéristiques clairement définies : leur tête est plus ou moins pointue à l'extrémité d'un cou allongé, leurs dents puissantes sont plates et dirigées vers l'arrière de la bouche. Leur corps massif est terminé par une queue dont ils font de multiples usages. Gouvernail dans l'eau, elle leur permet de se tenir dans les arbres, et peut aussi devenir une arme redoutable.

Des varans fossiles ont été découverts dans de nombreuses régions du globe, y compris en Belgique, mais leur plus grand représentant semble être le *Megalania prisca* qui mesure jusqu'à cinq mètres et dont les restes furent retrouvés en Australie.

LE VARAN DU NIL

Classe : Reptiles
Famille : Varanidés
Genre : Varanus
Sous-genre : Polydaedalus
Nom scientifique : Varanus niloticus
Régime alimentaire : Carnivore
Taille : 1,70 m

Plus encore que le varan malais, le varan du Nil apprécie l'eau, ce qui explique qu'on le qualifie de semi-aquatique. Sa queue d'ailleurs latéralement aplatie est un gouvernail parfait. A la moindre alerte il plonge, nageant par ondulations du corps et de la queue, à la manière des crocodiles. Il peut rester immergé au moins une heure.

Sa nourriture se constitue principalement de batraciens, mais il ne dédaigne pas quelques petits mammifères et oiseaux.

La femelle pond ses œufs dans des termitières, et les abandonne aux bons soins des termites.

Il peuple une bonne partie de l'Afrique, à l'exception des régions du Nord-Ouest.

LE VARAN DU DÉSERT

Classe : Reptiles
Famille : Varanidés
Genre : Varanus
Sous-genre : Psammosaurus
Nom scientifique : Varanus griseus
Régime alimentaire : Carnivore
Taille : 1,30 m

Comme son nom l'indique, ce varan a colonisé les régions désertiques qui s'étendent de l'Ouest du Sahara au Pakistan. Sa queue parfaitement cylindrique ne serait d'ailleurs d'aucune utilité dans l'eau. En revanche il s'en sert comme d'un fouet défensif parfait. Son corps, brun clair, se fond dans son habitat.

Il se nourrit d'insectes, d'autres lézards, de serpents et de gerboises. Il passe les heures les plus chaudes de la journée dans des trous creusés dans le sol. La femelle enfouit ses œufs dans le sable et se couche dessus pour les surveiller.

LE MAÎTRE INCONTESTÉ DE L'ÎLE DU DIABLE

A la fin du siècle dernier, époque du sultan Bima, l'île de Komodo, qui fait partie de l'archipel de la Sonde en Indonésie, était considérée comme l'île du Diable.

Son manque d'eau, son aridité et la force des courants qui traversent à cet endroit l'océan Indien avaient incité les colons hollandais à y construire un bagne. Il est sans doute des îles au nom prédestiné, si l'on en juge par une autre île du Diable, dépendance du bagne de Cayenne sur la côte guyanaise.

Aujourd'hui, l'île de Komodo est devenue parc national et ses quelque 500 habitants sont, pour la plupart, des descendants d'anciens bagnards. Sur ses 394 kilomètres carrés comme sur l'île de Rintja, Padar et une partie de l'île de Florès, le varan vit en maître incontesté. Grâce au décret du sultan Bima en 1915 et depuis que les maroquiniers se sont rendu compte que les ostéodermes de sa peau la rendaient impropre au tannage, il a échappé à une extinction plus que probable, et il est désormais totalement protégé.

Les indigènes qui vivent essentiellement de la pêche ont d'ailleurs compris qu'ils pouvaient, à peu de frais et sans leur causer de dommages, tirer un apport financier non négligeable des varans. Ils vendent aux touristes, venus admirer les grands monstres en liberté, des charognes que ceux-ci jettent en pâture aux varans.

Une croissance ininterrompue

Comme la plupart des reptiles, le varan grandit toute sa vie durant, même si cette croissance devient de plus en plus lente au fur et à mesure que celui-ci vieillit. L'observation des vieux mâles, dont la peau est ourlée de nombreux plis au niveau du cou, donne à penser que ceux-ci peuvent aisément dépasser l'âge de cinquante ans. Quelles que soient les informations souvent délirantes données à propos de leur gigantisme, il semble que les mâles adultes ont en moyenne une taille qui tourne autour de trois mètres et que celle des femelles n'excède pas les deux mètres.

Leur peau, couverte d'ostéodermes, finit par avoir la résistance d'une carapace et les jets de pierres laissent les animaux parfaitement insensibles. Cette peau est différente selon l'âge et le sexe des varans. Uniformément foncée chez les très jeunes, elle vire au marron brique, parfois presque au rougeâtre chez les mâles adultes. Chez les femelles, elle reste noir-verdâtre, la base de leur tête et leur cou étant mouchetés de jaune.

Deux yeux et une langue

De toute évidence, l'ouïe n'est pas le sens le plus développé chez les varans. Il semblerait même qu'ils deviennent quasiment sourds dès l'âge adulte, ce qu'on expliquerait par une ossification de leur oreille interne. En revanche, leur vue se révèle remarquable, même s'ils ne peuvent voir ce qui est situé exactement en face d'eux, tant leurs yeux sont placés de manière latérale.

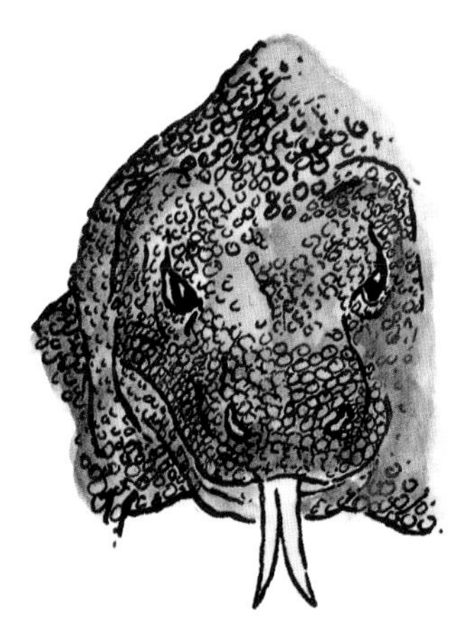

Leur langue bifide blanc rosé, qui ne cesse de darder à trente centimètres hors de leur bouche, joue un rôle tout à fait prépondérant. Comme chez la plupart des lézards, elle recueille les particules odorantes analysées par les cellules sensorielles de l'organe de Jacobson. Cette langue assume donc, à elle seule, les facultés du goût et de l'odorat.

Une reproduction à long terme...

La reproduction des varans a beau être très mal connue, on a la certitude qu'ils sont ovipares, ce qui signifie qu'ils pondent des œufs, d'où les petits ne naîtront qu'au terme d'une incubation qui a lieu hors du corps de la mère. Ce n'est pas le cas d'autres reptiles, comme la vipère par exemple, qui sont ovovivipares.

Chez ces derniers, les œufs dont la coquille est molle restent dans les voies génitales de la mère jusqu'au moment de l'éclosion.

Au terme de l'accouplement qui intervient chez les varans après un ensemble de courses-poursuites entre le mâle et la femelle, celle-ci peut conserver dans son oviducte les spermatozoïdes vivants pendant de longues années. En terme de comparaison, les spermatozoïdes de l'homme ne vivent pas au-delà de trois jours. Il n'est pas rare que la fécondation n'intervienne, chez les varans, que trois ans après l'accouplement. La femelle varan pond, dans un nid creusé à même le sol, comme c'est l'usage chez la plupart des sauriens, entre 25 et 30 œufs de couleur blanche. Elle les abandonne alors définitivement à leur sort et leur incubation va durer de 8 mois à 8 mois et demi.

Une puissance rarement égalée

Passé les premières années de sa jeunesse, il n'est pas un animal — cerf, chien, sanglier ou buffle — qui puisse résister à la puissance et à la voracité du varan de Komodo. Entre congénères, l'ordre d'accès au festin est d'ailleurs réglé selon une stricte hiérarchie, ainsi que cela se passe presque toujours chez les grands carnassiers. Deux mâles, de taille identique, ne s'affronteront pas autour d'une même proie et les plus jeunes n'auront droit qu'aux restes des adultes. De violents coups de queue serviront, si besoin est, à ramener les indisciplinés à la raison. De là à penser que les varans sont des animaux agressifs, il n'y a qu'un pas, qu'il serait pourtant tout à fait erroné de franchir.

Certains récits témoignent d'accidents mortels survenus à des hommes du fait des varans. Il s'agit, la plupart du temps, d'indigènes blessés représentant pour les varans des proies faciles. Il a pu arriver également que le reptile attaqué se soit senti acculé et qu'il ait eu une réaction de défense. Il n'en demeure pas moins que, naturellement, les varans évitent la compagnie des hommes ou semblent marquer une totale indifférence à leur présence.

Ainsi donc, comme bien des animaux même redoutables, le varan de Komodo n'est dangereux que s'il est attaqué et ce, en dépit du degré que peut atteindre, à nos yeux, sa monstruosité.

JEUX

Illustrations de Michel Beurton

L'ÎLE DE KOMODO

En suivant ce plan de route, tu pourras découvrir les animaux de l'île de Komodo... et retrouver la longue-vue, la gourde, les bottes et l'appareil photo égarés par le naturaliste.

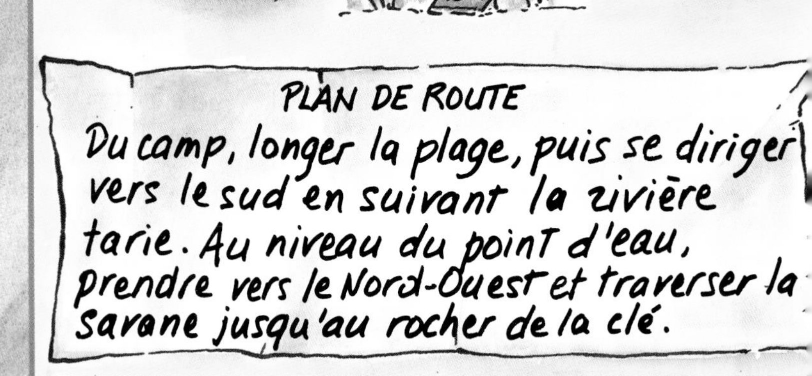

De là, rejoindre vers le Sud
l'antre du varan.
Remonter plein Nord vers la
forêt-galerie et suivre la
rivière jusqu'au camp.
N
NO
NE
O
E
SO
SE
S

LE SAVIEZ-VOUS ?

Les serpents, les crocodiles, les tortues et les lézards (dont le varan de Komodo) sont des reptiles. Ce groupe est composé d'animaux très différents les uns des autres.

LES TORTUES

1 - La carapace de la tortue entoure complètement le corps de l'animal.

VRAI ☐ FAUX ☐

2 - La tortue du désert avance à une vitesse de :

- 0,35 km/h
- 2 km/h
- 15 km/h

LES CROCODILES

3 - Les grands crocodiles peuvent mesurer :

- 2,5 m
- 5 m
- 7,5 m

4 - Certains crocodiles et alligators construisent des nids pour pondre.

VRAI ☐ FAUX ☐

LES SERPENTS

5 - Les pythons et les boas sont des serpents venimeux.

VRAI □ FAUX □

6 - Les serpents muent tous les ans.

VRAI □ FAUX □

LES LÉZARDS

7 - Tous ces animaux appartiennent à la famille des lézards sauf un, lequel ?

- iguane
- caméléon
- varan
- caïman
- orvet

8 - Certains lézards ont une queue escamotable : ils s'en débarrassent, s'ils sont attaqués, ce qui leur permet de prendre la fuite tandis que le prédateur se jette sur la queue.

VRAI □ FAUX □

DROLE DE DRAGON

Ce dragon est fait de sept reptiles différents. A toi de les retrouver.

Dragon volant
Lézard à langue bleue
Crocodile
Tortue
Caméléon
Varan
Lézard à collerette

Le saviez-vous ?

1. Vrai. Cette carapace est divisée en deux parties : la dossière qui recouvre le dos et le plastron qui protège le ventre. Ces deux parties sont attachées sur les flancs.

2. 0,35 km/h. En une journée, elle parcourt 2,75 km. En revanche, certaines tortues de mer nagent à plus de 30 km/h.

3. 7,5 m. Ce sont des crocodiles d'Asie du Sud-Est et d'Australie.

4. Vrai. Certaines espèces creusent un trou dans le sol, d'autres amoncellent des herbes et des branches pour construire des nids pouvant mesurer jusqu'à 3 mètres de diamètre et 1 mètre de haut.

5. Faux. Ils ne sont pas venimeux. Comme tous les serpents constricteurs, les pythons et les boas étouffent leur proie dans leurs anneaux.

6. Vrai. Les serpents changent de peau tous les ans durant toute leur vie.

7. Le caïman qui appartient à la famille des crocodiliens.

8. Vrai. Une nouvelle queue repousse ensuite. Cette deuxième queue n'est pas escamotable.

RÉPONSES

Drôle de dragon

La gueule et les pattes arrière du crocodile. Les ailes du dragon volant. La langue du lézard à langue bleue. Les pattes avant de la tortue. La collerette du lézard à collerette. Le corps du varan.

Dans la même collection :

TEO le petit loup
BA JING le panda
AUGUSTE le manchot
ARTHUR le baleineau
KONGO l'éléphant
FLORE l'abeille
KAMBALDA le kangourou
VIRGINIE la chauve-souris
GAUTHIER le gorille
ADELAÏDE la chouette
TARIMA le dromadaire

Composition réalisée par C.M.L., Montrouge

Achevé d'imprimer par Ouest Impressions Oberthur
35000 Rennes - N° 10724 - Juin 1990
ISBN 2.010.16452.0 - Dépôt légal éditeur n° 8405